Savais-tu

Les Hiboux

Savais-tu?

Les Hiboux

Alain M. Bergeron
Michel Quintin
Sampar

Illustrations de Sampar

ÉDITIONS
MICHEL
QUINTIN

Catalogage avant publication de Bibliothèque et Archives nationales du Québec et Bibliothèque et Archives Canada

Bergeron, Alain M.

Les hiboux

(Savais-tu? ; 48)
Pour enfants de 7 ans et plus.

ISBN 978-2-89435-501-5

1. Hiboux - Ouvrages pour la jeunesse. 2. Hiboux - Ouvrages illustrés - Ouvrages pour la jeunesse. I. Quintin, Michel. II. Sampar. III. Titre. IV. Collection: Bergeron, Alain M. Savais-tu? ; 48.

QL696.S83B473 2010   j598.9'7   C2010-941704-6

Infographie: Marie-Ève Boisvert, Éd. Michel Quintin

La publication de cet ouvrage a été réalisée grâce au soutien financier du Conseil des Arts du Canada et de la SODEC.

De plus, les Éditions Michel Quintin reconnaissent l'aide financière du gouvernement du Canada par l'entremise du Fonds du livre du Canada pour leurs activités d'édition.

Gouvernement du Québec – Programme de crédit d'impôt pour l'édition de livres – Gestion SODEC

ISBN 978-2-89435-501-5
Dépôt légal – Bibliothèque et Archives nationales du Québec, 2010
Dépôt légal – Bibliothèque et Archives Canada, 2010

© Copyright 2010

Éditions Michel Quintin
C.P. 340, Waterloo (Québec)
Canada J0E 2N0
Tél.:   450 539-3774
Téléc.: 450 539-4905
editionsmichelquintin.ca

1 0 - G A - 1

Imprimé au Canada

Savais-tu que les chevêches, les chevêchettes, les chouettes, les effraies, le harfang, les hiboux, les kétoupas, les ninoxes, les nyctales, les phodiles, les petits-ducs, les moyens-ducs

et les grands-ducs sont indistinctement appelés, par plusieurs, «les hiboux»? D'ailleurs, dans beaucoup de langues, ces oiseaux portent tous le même nom.

Savais-tu qu'on en compte plus de 200 espèces, réparties dans trois grands groupes ? Ces groupes sont les hiboux, les chouettes et les effraies.

Savais-tu qu'il n'y a pas de différences fondamentales entre ces trois groupes, mis à part des caractéristiques extérieures superficielles ? On distingue les effraies par leur face en forme de cœur et les chouettes des hiboux par la présence

d'aigrettes chez ces derniers. Ces touffes de plumes plus ou moins visibles qu'ils ont sur la tête n'ont rien à voir avec l'ouïe.

Savais-tu qu'on trouve ces oiseaux de proie nocturnes sur tous les continents sauf en Antarctique? La majorité des espèces vivent dans les régions tropicales.

Savais-tu qu'ils habitent surtout dans les zones boisées, mais aussi dans les prairies et les marais et même dans les déserts et la toundra arctique ?

Savais-tu que la plus grosse espèce pèse près de 100 fois plus que la plus petite ? En effet, certaines chevêchettes ont un poids d'à peine 40 grammes alors que le grand-duc d'Europe peut peser jusqu'à 3,3 kilos.

Savais-tu que la plupart des espèces chassent au crépuscule et en pleine nuit ? Mais il y en a qui chassent aussi le jour, comme le harfang des neiges.

Savais-tu que les hiboux, les chouettes et les effraies se nourrissent de proies diverses, dont des mammifères, des invertébrés, des poissons, des amphibiens et des reptiles? Chez la majorité des espèces, les petits rongeurs constituent

la base du régime alimentaire. Ces oiseaux sont donc très utiles à l'homme, en éliminant quantité de petits rongeurs nuisibles.

Savais-tu que le grand-duc d'Europe consomme plus de 100 kilos de nourriture par an, soit plus de 3 000 petits rongeurs? Le harfang des neiges, pour sa part, peut consommer environ 1 600 lemmings dans une année.

Savais-tu que les chouettes pêcheuses africaines et les hiboux pêcheurs asiatiques harponnent les poissons avec leurs serres?

Savais-tu que les hiboux, les chouettes et les effraies chassent aussi bien à l'affût, à partir d'un perchoir, qu'en survolant lentement leur territoire à faible distance du sol?

Savais-tu que lorsqu'ils ont repéré leur proie, ils fondent sur elle, pattes devant, leurs puissantes serres ouvertes? Dès que celles-ci touchent la proie, elles se referment violemment. Le taux de réussite des attaques varie entre 20 et 50 %.

Savais-tu que tous transportent leurs proies dans leur bec ? Par contre, les très grosses prises, comme les lièvres, les renardeaux ou les faons, sont transportées dans leurs serres.

Savais-tu qu'ils avalent leurs petites proies tout entières et la tête la première ? Les grosses proies sont préalablement déchiquetées par leur bec crochu.

Savais-tu que les parties non comestibles de leurs proies telles que fourrure, os, dents et griffes sont régurgitées sous forme de boulettes appelées «pelotes de réjection»?

Savais-tu que grâce, entre autres, à leur plumage duveteux,
ces oiseaux ont un vol léger et totalement silencieux ?
Un vol sans bruit les rend indétectables et leur permet

d'entendre le bruit des proies sans être gênés par celui de leurs ailes.

Savais-tu que leurs grands yeux ronds sont adaptés à la vision nocturne? Beaucoup d'espèces ont une sensibilité à la lumière 100 fois supérieure à la nôtre, mais aucune ne peut voir dans l'obscurité totale.

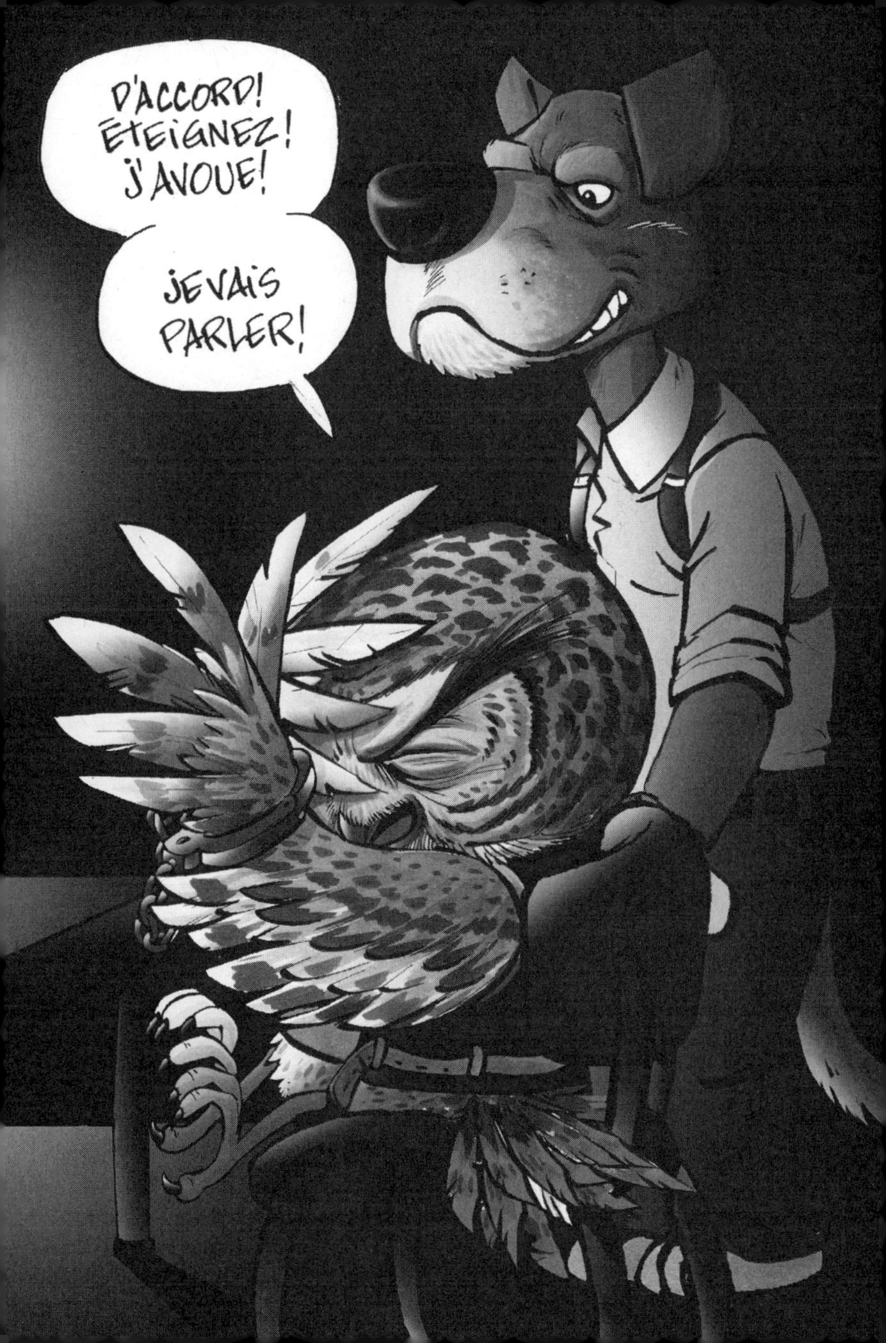
D'ACCORD! ÉTEIGNEZ! J'AVOUE!
JE VAIS PARLER!

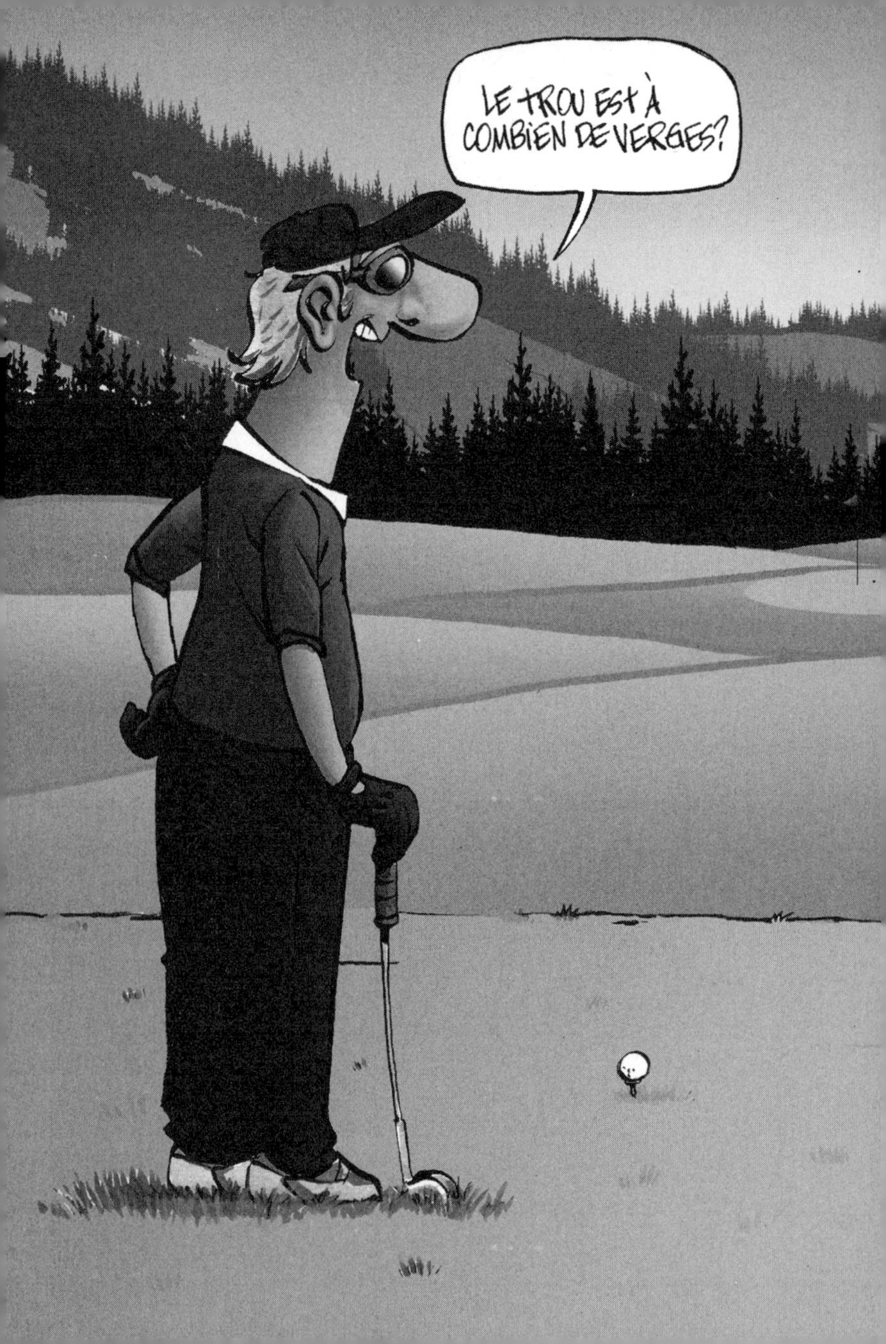
LE TROU EST À COMBIEN DE VERGES?

Savais-tu qu'orientés vers l'avant, leurs yeux leur procurent une vision binoculaire, ce qui leur permet de bien évaluer les distances ?

Savais-tu que, pour cette raison, ils ont, comparativement à la majorité des oiseaux, un champ de vision réduit? En plus, à la différence de nous, leurs yeux sont fixes dans leurs

orbites de sorte qu'ils ne peuvent orienter leur regard sans bouger la tête.

Savais-tu que pour compenser ces inconvénients, les hiboux, les chouettes et les effraies peuvent faire pivoter leur tête sur 270 degrés? Ils doivent la grande mobilité

de leur tête à leur cou remarquablement souple qui compte
14 vertèbres cervicales, soit le double du nôtre.

Savais-tu qu'ils ont aussi une très bonne vision diurne? La chouette épervière peut repérer une proie à une distance de 800 mètres et le harfang des neiges peut déceler un lemming en mouvement jusqu'à 1 kilomètre de distance.

Savais-tu que leur excellente sensibilité visuelle est alliée à une ouïe exceptionnellement perçante? Un chercheur a remarqué que l'effraie des clochers qu'il observait à plus

de 25 mètres entendait le glissement de son stylo à bille sur sa feuille de papier.

Savais-tu que certaines espèces peuvent entendre une souris trottiner sous une couche de neige pouvant atteindre 45 centimètres d'épaisseur?

Savais-tu que les disques faciaux, cet ensemble de petites plumes entourant leurs yeux, sont l'équivalent de nos pavillons d'oreilles? En agissant comme des réflecteurs,

ils augmentent la capacité auditive de l'oiseau en dirigeant les sons vers leurs conduits auditifs cachés derrière.

Savais-tu que dépendant des espèces, la femelle pond de 2 à 9 œufs? Les années où la nourriture est très abondante, ce chiffre peut grimper jusqu'à 15. Certaines femelles peuvent même avoir une deuxième nichée.

Savais-tu que c'est le mâle qui veille au ravitaillement de la femelle dans la période d'incubation? Il s'en charge aussi pendant la croissance des jeunes.

Savais-tu que chez certaines espèces les couples sont unis pour de nombreuses années? C'est le cas, entre autres, de la chouette rayée et du grand-duc d'Europe.

Savais-tu que l'espérance de vie des oiseaux de proie noc-turnes est de 2 à 4 ans? La première année, 50 % meurent, puis 30 % les années suivantes. Certains individus ont quand même atteint presque 30 ans à l'état sauvage.

Savais-tu que bien que ce soit des espèces protégées, les hiboux, les chouettes et les effraies ne sont pas moins victimes de l'activité humaine? Certains des torts qui leur

sont causés le sont par la destruction de leur habitat, l'usage de pesticides qui empoisonnent la chaîne alimentaire et les collisions avec les véhicules et les trains.

PROTÉGEONS
NOS FORÊTS

Ce livre a été imprimé sur du papier contenant 100 %
de fibres recyclées postconsommation, certifié Écolo-Logo
et Procédé sans chlore et fabriqué à partir d'énergie biogaz.